3—

# Sur les traces de...

# Petit renard

Illustrations de Pierre Couronne
Textes de Marie Duval
Editions Hemma

C'est l'automne et toute la forêt s'habille de couleurs jaunes et pourpres. Sous la couronne d'un grand chêne, deux cerfs puissants s'affrontent et le choc de leurs bois résonne.

- Quand donc vont-ils cesser, ces deux-là ?
Ils en font du bruit, soupirent les écureuils.
Le renard roux ne prête pas attention à la bataille, il a bien d'autres soucis : il doit s'enfuir et se cacher.

- Ne reste pas
sur le pont, viens
avec moi, les chiens
ont senti notre trace et
les chasseurs arrivent à
grandes enjambées.
- C'est trop haut, je vais
me casser le cou.
- Non, l'eau est profonde,
tu peux y arriver, dit
le renard à son amie.

La meute des chiens
de chasse, tout excités,
s'approche
dangereusement.
La renarde tourne en rond,
jette un regard sur l'eau,
puis vers la forêt...
Elle n'a jamais eu aussi
peur, mais il n'y pas
d'autre issue,
elle doit plonger.
Avec beaucoup de courage,
elle fait un bond et
se lance dans le vide !
Hourra ! elle a réussi
sans trop de mal.
Les chiens sont là,
non loin de la rivière.
- Dépêche-toi,
viens par ici !
Silencieux, sans faire
d'éclaboussures, les
renards rejoignent
la rive à la nage.

- Regarde-les, ces nigauds,
on les a bien eus, chuchote
le renard à sa compagne
cachée derrière un rocher.
- Oui, ils filent dans la mauvaise
direction.

Le moment est venu de souffler un peu
après toutes ces émotions.

- Ma douce compagne, n'aimerais-tu pas voir
gambader autour de toi une ribambelle de
renardeaux ?...

L'automne touche à
sa fin et une bise froide
souffle déjà sur le pays.
- L'hiver approche, nous
avons besoin d'un terrier.
Il est grand temps de nous
mettre au travail, dit la
renarde.
- J'ai une meilleure idée !
Tiens, regarde là,
répond le renard.

- Pourquoi se fatiguer,
ma belle ?  L'ami blaireau
nous a préparé un nid
bien douillet.  Et je lui
ai fait comprendre qu'il
n'était pas le bienvenu.
- Oh, toi ! tu arrives
toujours à tes fins.
- Quelques petits travaux
d'agrandissement et nous
aurons le plus beau terrier
de toute la forêt.  Alors,
comment te sens-tu dans
ta nouvelle demeure ?
- Viens te coucher près
de moi, nous allons nous
reposer à présent,
la journée fut très
mouvementée, dit
la renarde.
Blottis l'un contre
l'autre, nos amis
s'endorment paisiblement.

L'hiver s'est installé,
recouvrant la campagne
d'une épaisse couche de
neige fraîche.  Le gibier se fait
rare et il faut souvent faire
de longs voyages pour se mettre
quelque chose sous la dent.
Le renard, lui, sait où se
trouve la bonne viande.
À la ferme !

À pas de velours, le chasseur rusé avance lentement vers ses proies. Les poules picorent, insouciantes, dans une petite basse-cour. Le renard se cache, s'immobilise derrière un tonneau, et attend...

Rapide comme l'éclair, le renard a saisi sa proie dans sa puissante mâchoire. Il l'emporte à toute vitesse vers la forêt. Les poules crient de frayeur dans le poulailler et le fermier sort de sa maison en brandissant un bâton.

- Voleur, maraud, un jour, j'aurais ta peau...

- Cours toujours, l'ami, pense le renard qui disparaît silencieusement derrière les arbres.

L'hiver est rude et, pour manger, il faut parfois courir de grands dangers !

Les durs mois de l'hiver sont passés. Au fond de la tanière,
un heureux événement s'est produit : six mignons renardeaux
ont vu le jour avec le printemps.
Maman renard est comblée et s'occupe tendrement de sa
progéniture. De loin, papa regarde la scène, car à partir de
maintenant, c'est maman qui élèvera seule ses petits.

En quelques semaines, les renardeaux ont
bien grandi.
- Chut, les enfants, voici notre déjeuner...

Insouciantes, trois souricettes
se disputent une baie sous
le nez du renard assoupi.
Mais dort-il vraiment ?  Son œil
mi-ouvert veille et il attend le moment
propice pour croquer les petites
imprudentes. Une fois encore,
sa ruse l'aura bien servi !

ISBN 2-8006-4585-7  4N° d'impression : 21179506
Imprimé en CE.        Dépôt légal : 6.95/0058/145